وَالْقَمَرُ الَّذي يُنيرُ لَيالِينا،
أَنارَ على الدَّيْنَصوراتِ،
لَياليها.

وَالشَّمْسُ ما زالَتْ تُدْفِئُنا،
كَما أَدْفَأَتِ الدَّيْنَصوراتِ.

وَما زَالَتْ هُنا، اليَوْمَ،
نَتَمَتَّعُ أَنا وَأَنْتَ بِرُؤْيَتِها.

هذهِ الْأَشْياءُ وَالْمَخْلوقاتُ، كُلُّها،
قَدْ رَأَتْها الدَّيْنَصوراتُ.

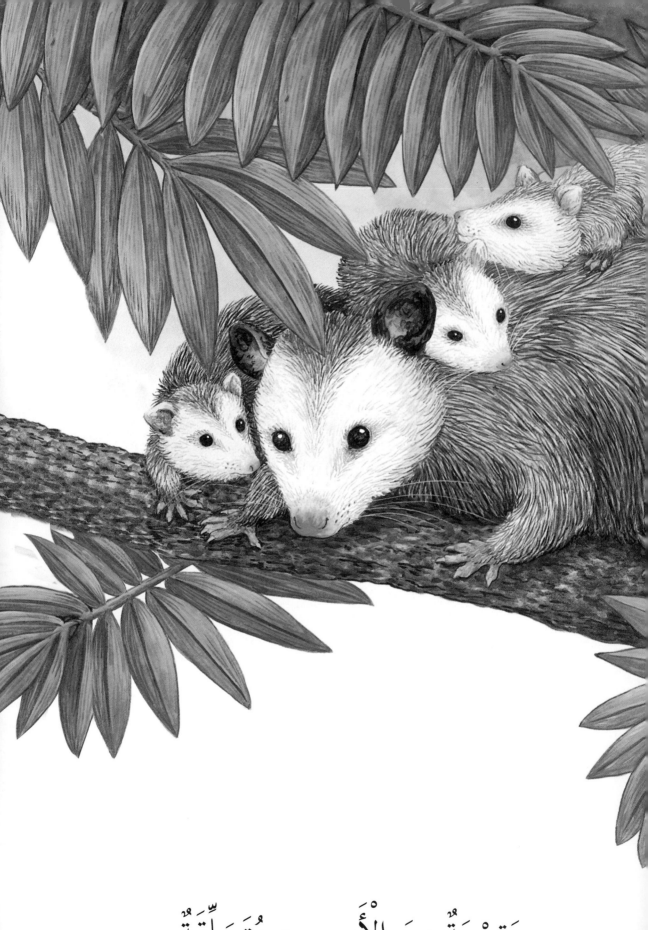

وَتِسْعَةٌ مِنَ الْأَبوسومِ مُتَسَلِّقَةٌ...

وَثَمانِيَةُ نَوارِسَ مُحَلِّقَةٌ...

وَسَبْعَةُ سَمادِرَ نائِمَةٌ...

وَسِتَّةُ ثَعابينَ زاحِفَةٌ...

خَمْسُ ضَفادِعَ نَقّاقَةٌ،
سْمِعَتْها الدَّيْنَصوراتُ، أَيْضًا،
في غابِرِ الزَّمانِ.

أَرْبَعَةُ أَكْوازٍ صَغيرَةٍ،
تَتَساقَطُ مِنْ شَجَرَةِ صَنَوْبَرٍ.
هِيَ أَيْضًا أَشْياءُ،
قَدْ رَأَتْها الدَّيْنَصوراتُ.

نَرى ثَلاثَ ديدانٍ تَتَلَوّى، مِثْلَما رَأَتْها الدَّيْنَصوراتُ.

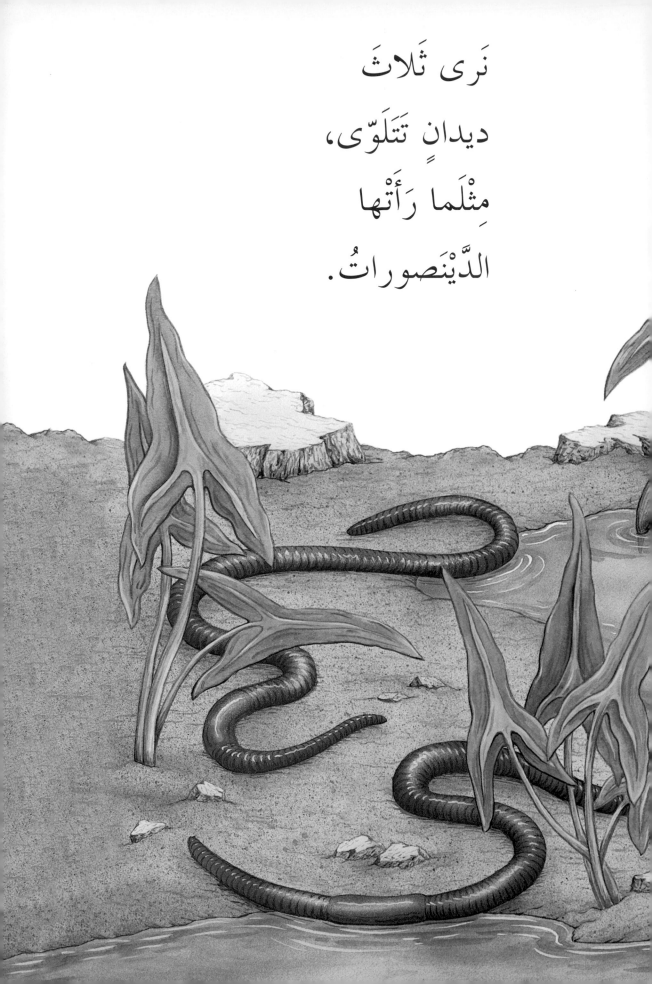

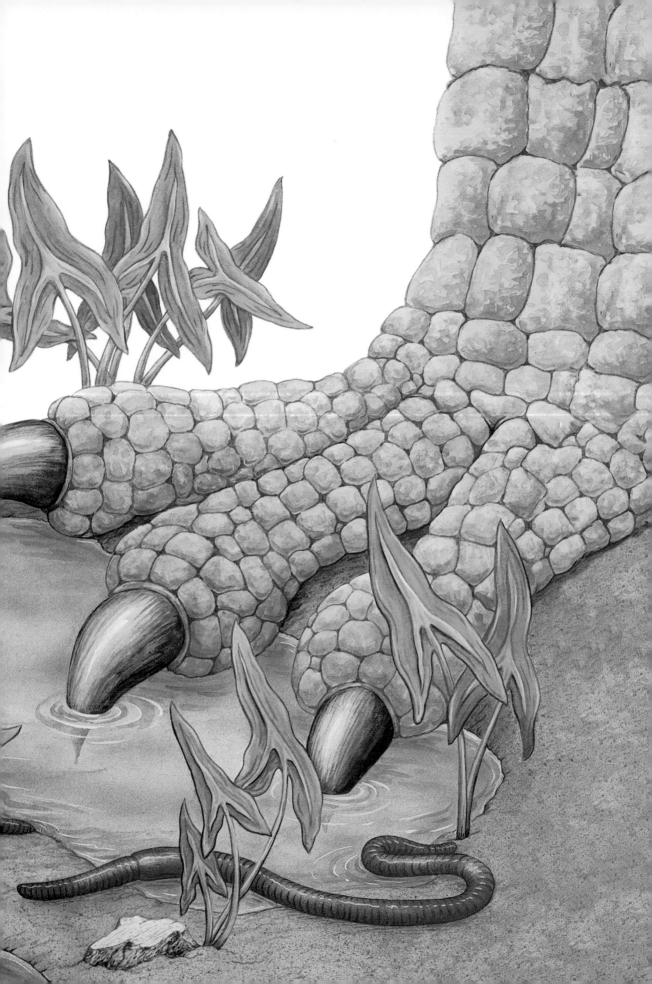

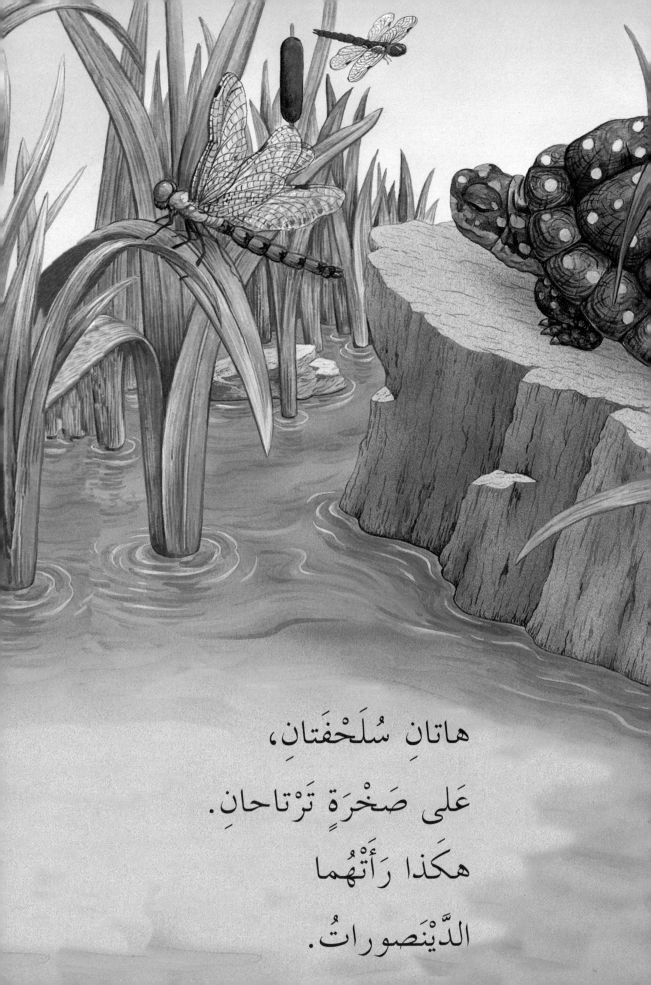

هاتانِ سُلَحْفَتانِ،
عَلى صَخرَةٍ تَرْتاحانِ.
هكَذا رَأَتْهُما
الدَّيْنَصوراتُ.

نَرى الْعَنْكَبوتَ
وَهِيَ تَغْزِلُ،
تَمامًا كَما رَأَتْها
الدَّيْنَصوراتُ.

تَعالَوْا مَعي نُشاهِدُ
ما شاهَدَتْهُ
الدَّيْنَصوراتُ
في قَديمِ الزَّمانِ.

ما الّذي
رَأَتْهُ الدّيْنَصوراتُ

تَأْليفُ: ميريام شِلين • رُسومُ: كارول شْوارْتز

ISBN 978-0-439-86384-1

First Arabic Edition, 2006. Printed in China.

1 2 3 4 5 6 7 8 9 10 62 11 10 09 08 07

ما الَّذي رَأَّتْهُ الدَّيْنَصوراتُ

حَيَواناتُ عاشَتْ في الْماضي وَالْحاضِرِ